BIOGRAPHIE

Petite fille, Lucy Daniels aimait beaucoup lire, et rêvait d'être écrivain. Aujourd'hui, elle vit à Londres avec sa famille et ses deux chats, Peter et Benjamin. Originaire de la région du Yorkshire, elle a toujours aimé la nature et les animaux, et s'échappe à la campagne dès qu'elle le peut.

ILLUSTRATIONS INTÉRIEURES : PHILIPPE MIGNON

L'auteur adresse un grand merci à Ingrid Maitland.
Elle tient également à remercier C. J. Hall, médecin vétérinaire.
Conception de la collection : Ben M. Baglio
Titre original :
Polars on the Path
© 2002, Working Partner Ltd
Publié pour la première fois par Hodder Children's Books, Londres
© 2003, Bayard Éditions Jeunesse pour la traduction française et les illustrations
Loi n°49-956 du 16 juillet 1949 sur les publications destinées à la jeunesse
Dépôt légal : novembre 2003
ISBN : 2 7470 0888 6

MISSION
OURS POLAIRES

LUCY DANIELS
TRADUIT DE L'ANGLAIS
PAR SIDONIE VAN DEN DRIES

BAYARD JEUNESSE

LES HÉROS

Cathy Hope a douze ans, et une passion : les animaux. Son ambition est de devenir vétérinaire, comme ses parents. La souffrance des animaux lui est insupportable et elle ne manque jamais une occasion de leur porter secours.

Adam et **Emily Hope** sont les parents de Cathy. Ils dirigent une clinique vétérinaire, l'Arche des animaux, où Cathy passe tout son temps libre.

James Hunter est le meilleur ami de Cathy. Il partage avec elle l'amour des animaux et la suit dans toutes ses aventures.

Tom et **Dorothy Hope** sont les grands-parents de Cathy. Ils vivent au cottage des Lilas, et sont toujours prêts à venir en aide à leur petite-fille.

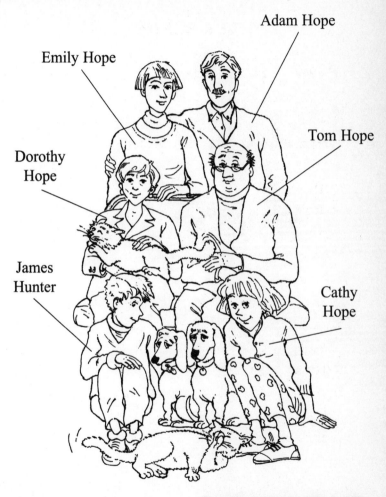

Adam Hope

Emily Hope

Dorothy
Hope

Tom Hope

James
Hunter

Cathy
Hope

**CARLETON PLACE
PUBLIC LIBRARY**

1

— J'ai l'air d'un éléphant, habillée comme ça ! On dirait que j'ai triplé de volume !

Cathy Hope éclata de rire en découvrant son reflet dans le miroir de la chambre d'hôtel. Une immense parka fourrée la couvrait de la tête aux genoux, tandis que ses jambes disparaissaient dans d'énormes après-ski.

— Au moins tu auras chaud, dit sa mère. Et une fois dehors, c'est tout ce qui compte !

Cathy se dirigea pesamment vers la fenêtre. À l'extérieur, tous les passants étaient affublés des mêmes manteaux matelassés dix fois trop grands. Ils pressaient le pas entre les traîneaux et les motoneiges qui encombraient la rue.

— On y va bientôt, maman? Qu'est-ce qu'on attend?

— Le réceptionniste doit nous prévenir quand le car sera là.

Impatiente, Cathy se tourna vers son père. Celui-ci, confortablement installé dans un fauteuil, lisait un magazine sur les animaux sauvages. Elle se pencha par-dessus son épaule pour admirer la photo d'une ourse polaire en train de folâtrer sur la glace avec ses petits. Pour la vingtième fois depuis leur arrivée à Churchill, elle demanda:

— On va vraiment voir des ours polaires, hein papa?

Elle avait du mal à s'imaginer nez à nez avec son animal préféré.

— Oui, ma chérie, la rassura son père. Ce n'est pas pour rien que Churchill est la capitale de l'ours polaire!

— Mais pourquoi les ours viennent-ils par ici?

Adam Hope déplia une carte et posa le doigt dessus :

— On est là, à l'ouest de la baie d'Hudson. À l'automne, les ours quittent leurs tanières situées dans les terres et viennent chasser le phoque sur la baie gelée. Mais cette année, la glace tarde à se former, et les ours attendent de pouvoir s'aventurer sur la banquise pour capturer leurs proies.

— Pourtant, ils savent nager, s'étonna Cathy. Pourquoi ne plongent-ils pas tout simplement dans l'eau pour attraper les phoques ?

— Parce que les phoques nagent beaucoup plus vite, répondit M. Hope en riant. Les ours seraient toujours bredouilles. Mais ils sont malins : ils savent que les phoques sont obligés de sortir la tête de temps en temps pour respirer. Alors, quand la baie est gelée, ils se postent près des trous dans la glace, et dès que l'un d'eux pointe son museau, hop ! ils le saisissent avec leurs griffes, et ils en font leur déjeuner !

Les parents de Cathy, Emily et Adam Hope, tous deux vétérinaires, étaient arrivés à Churchill le matin même. Une université canadienne les avait chargés d'étudier les effets du changement climatique sur la faune sauvage près du cercle polaire. Par sa situation, la petite ville canadienne convenait parfaitement à leurs recherches. Ils s'apprêtaient donc à passer un mois loin de l'Arche des animaux, leur clinique vétérinaire de Welford, en Angleterre. La directrice de l'école de Cathy avait accepté que la jeune fille les accompagne, à condition qu'elle fasse quelques devoirs et qu'elle écrive à ses camarades pour leur raconter ses aventures dans le Grand Nord.

Soudain, une sonnerie stridente les fit sursauter. Cathy se précipita sur le téléphone :

– Allô !

– Le car est arrivé, annonça une voix amicale au bout du fil.

– Merci, répondit Cathy. On descend tout de suite !

Elle reposa l'appareil, tout excitée :

– Vite, papa, maman, il est là ! Dépêchez-vous !

Ils descendirent, traversèrent le hall de l'hôtel et sortirent. Devant le bâtiment, un homme en parka bleue aidait un groupe de touristes à monter dans le car par une échelle métallique située à l'arrière. Le véhicule, haut perché sur de grandes roues équipées de pneus géants, semblait capable d'avancer sur les terrains les plus difficiles.

– On dirait un bus scolaire avec des pneus de tracteur ! remarqua Cathy en riant.

– Regarde les fenêtres, dit son père. Elles sont blindées pour protéger les gens des griffes des ours affamés.

– Oh là là ! s'exclama Cathy, très impressionnée.

– Bon, eh bien, j'espère que c'est chauffé ! marmonna sa mère en remontant son écharpe sur son menton.

Lorsque tous les passagers furent installés, les roues se mirent lentement à tourner sur la glace et l'engin démarra.

Blottie entre ses parents, Cathy sentit un petit frisson lui parcourir le dos tandis qu'ils quittaient la ville.

À travers la vitre, elle aperçut la toundra. Cet immense paysage stérile et glacé, d'un blanc éblouissant, paraissait s'étendre à l'infini.

— La glace fond quelquefois? demanda-t-elle.

— Que tu es curieuse! Oui, la surface de la toundra fond pendant l'été, répondit son père. Mais dessous, la terre reste gelée en permanence.

— C'est pour ça qu'il n'y a presque pas d'arbres, ajouta Emily Hope. Ils ne peuvent pas enfoncer leurs racines dans la glace.

— Mais alors, les caribous, qu'est-ce qu'ils mangent? s'étonna Cathy.

— Du lichen et de la mousse. Ces plantes arrivent à pousser parce qu'elles ont de toutes petites racines, expliqua sa mère.

Le car longeait les rives de la baie. Le brouillard était de plus en plus dense.

Pensive, Cathy se disait que les ours

polaires vivaient dans l'environnement le plus inhospitalier qui soit. Le cri d'un passager la tira brusquement de sa rêverie :

— Là ! J'en vois un !

Cathy bondit de son siège et regarda dans la direction que l'homme indiquait.

À quelques dizaines de mètres du car, un énorme ours solitaire s'avançait vers eux d'un pas tranquille. À mesure qu'il approchait, Cathy apercevait ses griffes sombres et recourbées, et le bouton noir de son nez.

Le conducteur s'arrêta et ouvrit le toit du véhicule. Cathy se mit sur la pointe des pieds. Elle était juste assez grande pour voir par-dessus bord.

— Il est gigantesque ! dit-elle, tout bas pour ne pas attirer son attention.

L'ours était en train de renifler les roues. Soudain, il se dressa de toute sa hauteur sur ses pattes arrière et s'appuya sur le car. Il colla son museau contre la vitre.

Un vent de panique se leva dans le bus, et les passagers s'éloignèrent des fenêtres en poussant des exclamations effrayées. Pas très rassurée, Cathy agrippa le bras de sa mère. En même temps, elle sentait sa peau la picoter d'excitation. L'ours était si près qu'elle voyait ses canines aiguisées et sa langue rose. Son souffle chaud formait un nuage dans l'air glacé.

Le car redémarra. L'ours se rejeta en arrière et reposa ses pattes avant au sol. Puis il s'éloigna nonchalamment.

– On transporte de la nourriture, expliqua le conducteur. Il a dû être attiré par l'odeur. Cependant, il est interdit aux passagers de leur donner à manger. On ne doit pas les rendre dépendants des hommes.

– Qu'est-ce qu'ils mangent en été, quand ils ne peuvent pas attraper de phoques ? demanda Cathy. De la mousse et des lichens, comme les caribous ?

Elle inspecta le paysage désolé. Les maigres buissons éparpillés sur la glace ne lui semblaient pas très appétissants.

– Non, pas vraiment. En fait, ils ne mangent pas grand-chose, répondit le conducteur. Ils vivent sur les réserves de graisse qu'ils ont accumulées pendant l'hiver.

Tournant la tête, la jeune fille aperçut deux ours qui luttaient au corps à corps sur la glace. Ils culbutaient l'un par-dessus l'autre, faisant voltiger la neige tout autour d'eux.

– Venez voir, papa, maman! Ils se battent!

Cathy retint sa respiration. Les ours s'étaient mis debout et se faisaient face en secouant leurs pattes avant. Puis ils se pourchassèrent à une vitesse effrénée, avant de se télescoper et de rouler dans la neige.

– Voyons, ma chérie, ils jouent! dit Adam Hope. Ils s'entraînent à la bagarre.

– Ou alors ils donnent un spectacle spécialement pour nous, intervint Emily Hope.

Cathy sourit. Elle avait peine à croire que les ours polaires étaient les carnivores les plus dangereux du monde. On aurait dit de grosses peluches.

Elle aurait volontiers passé le reste de

l'après-midi à les regarder aller et venir sur la neige, mais le car prit bientôt le chemin du retour.

2

Le conducteur les déposa devant l'hôtel, où Cathy et ses parents ne firent qu'un passage éclair. L'université qui sponsorisait leurs recherches avait mis M. et Mme Hope en contact avec un responsable de la faune locale, M. Bruce. Ce soir, ils allaient le rencontrer pour la première fois.

Ils traversèrent la ville à pied, à la nuit tombée. Churchill avait un air de fête, et des citrouilles édentées souriaient dans la plupart des vitrines.

– Ah oui ! C'est Halloween ! s'écria

Cathy en s'arrêtant pour admirer un horrible masque de monstre.

– C'est après-demain seulement, rectifia son père. Allez, il faut qu'on se dépêche si on ne veut pas arriver en retard chez John Bruce, le shérif polaire.

– Le shérif polaire ? répéta Cathy, étonnée.

– Ce n'est pas un vrai shérif, expliqua sa mère. Il est chargé de surveiller les ours pour les empêcher d'entrer dans la ville. Tu sais, même s'ils semblent tranquilles, ces animaux sont dangereux, et c'est important de les tenir à l'écart des hommes.

– Il aide aussi le centre de recherches de Churchill à capturer les ours, ajouta Adam Hope. Il leur agrafe des étiquettes d'identité aux oreilles pour…

– Il les agrafe ? s'exclama Cathy, révoltée. Mais ça doit leur faire mal !

– C'est comme de se faire percer les oreilles, la rassura son père. Et cela permet aux scientifiques d'apprendre un tas de choses. S'ils capturent un ours qui porte déjà une étiquette, ils peuvent savoir s'il a été malade, s'il a grossi ou maigri depuis la dernière fois…

— Numéro 43. On est arrivés ! le coupa Emily en frappant ses gants l'un contre l'autre. Pas trop tôt ! Je suis gelée.

Un homme massif à la moustache en broussaille leur ouvrit la porte et leur souhaita chaleureusement la bienvenue. Derrière lui se tenait une grande adolescente brune.

— Entrez ! Entrez !

John Bruce les entraîna à l'intérieur :

— Adam, Emily et… ?

— Cathy ! s'empressa de répondre l'intéressée tandis que M. Bruce lui secouait vigoureusement la main.

— Et voici ma fille, Alicia. Ma femme est encore au travail, mais elle va bientôt revenir. Elle a hâte de vous connaître. Allez, venez vous installer au chaud.

— Bonjour ! dit Cathy à Alicia.

Celle-ci lui rendit son salut. Elle se baissa pour recueillir un minuscule chiot écossais venu à la rencontre des visiteurs. Les yeux de Cathy s'allumèrent :

— Oh, qu'il est mignon ! Il est à toi ?

— Oui. Il s'appelle Hamish.

— Les filles, vous prendrez un chocolat chaud ? cria M. Bruce depuis la pièce voisine.

Cathy suivit Alicia dans la cuisine, où ses parents étaient déjà en train de se réchauffer devant la cheminée.

— Avec plaisir !

— Quel froid ! C'est un vrai soulagement d'être à l'intérieur, s'exclama Emily.

— Pourtant, il ne fait que moins quinze, plaisanta M. Bruce. Ici, on commence à parler de froid à moins cinquante !

Emily Hope frissonna.

— Alors, comment trouvez-vous Churchill ? leur demanda leur hôte.

— C'est génial ! s'écria Cathy avec enthousiasme. Et on a déjà vu des ours polaires !

— Ils sont magnifiques, non ? dit Alicia. Moi, je ne me lasse pas de les observer, et j'ai des tonnes de photos dans ma chambre. Tu veux les voir ?

Cathy ne se fit pas prier. Alicia paraissait adorer les animaux, elle aussi.

– Viens, proposa-t-elle. On n'a qu'à emporter nos chocolats là-haut.

Les deux jeunes filles s'engouffrèrent dans l'étroite cage d'escalier qui menait à l'étage.

Cathy s'assit sur le lit d'Alicia et regarda autour d'elle. Les murs et le plafond de la petite chambre étaient tapissés de dizaines de photos d'ours polaires.

– Ça doit être formidable de vivre ici ! Cet après-midi, on est sortis en car dans la toundra. On a vu plein d'ours, c'était incroyable !

– C'est la saison. Ces jours-ci, il y a presque autant d'ours que de touristes !

Hamish sauta sur le lit et vint se blottir contre Cathy. Elle caressa sa douce fourrure noire.

– Hamish ne craint pas le froid ?

– Je lui mets un manteau pour sortir.

Mais à cette période de l'année, il faut être très prudent quand on va le promener, à cause des ours. Hamish se ferait croquer en une seule bouchée !

Elle ébouriffa son pelage avec amour.

– Les ours sont réellement dangereux ? demanda Cathy. Ils ont l'air si doux…

– Ils sont surtout dangereux quand ils ont faim. La dernière fois que quelqu'un a été tué par un ours polaire, ici, c'était il y a vingt ans. L'homme transportait de la viande, et l'ours l'a attaqué.

– Et alors ? s'enquit Cathy, qui redoutait la réponse.

– On a tué l'ours, répondit tristement Alicia. C'est pour ça que ces animaux doivent absolument rester dans la toundra. Papa les surveille. Ça fait partie de son travail, et ce n'est vraiment pas facile ! En ce moment, par exemple, ils sont affamés. Ils sentent qu'il y a de la nourriture en ville, et la décharge les attire comme un aimant ! Plus tard, je veux faire le même travail que mon père.

– Moi, je veux devenir vétérinaire, dit Cathy. Comme mes parents.

Elle décrivit à sa nouvelle amie l'Arche des animaux, et parla longuement de ses protégés.

– Ça a l'air génial, chez toi, dit Alicia. J'aimerais bien venir te voir un jour. Au fait, tu seras encore ici pour Halloween ?

– Oui, bien sûr, répondit Cathy.

– Ça te dirait de sortir avec moi ?

– Avec plaisir ! s'exclama Cathy. Seulement, je n'ai pas de déguisement !

– Ce n'est pas un problème, on a plein de trucs ici.

– Alicia ? Cathy ? brailla John Bruce depuis le bas de l'escalier. Vous êtes là-haut ?

– Oui…

– Vous pouvez descendre deux secondes ? Avec les parents de Cathy, on est en train de prévoir un tour dans le ciel demain matin.

– Oh, super ! s'écria Alicia. Tu vas adorer, Cathy !

– Un tour dans le ciel?

– Souvent, papa utilise un hélicoptère pour son travail, expliqua Alicia. Vous survolerez le cap Churchill avec lui. Les ours s'y rassemblent, parce que c'est là que la baie gèle en premier.

Les deux filles dévalèrent l'escalier.

– Je peux venir aussi? demanda Alicia à son père.

– Tu sais bien qu'il n'y a que quatre places, ma chérie. Et puis, Hamish vient juste de commencer son traitement. Ce serait plus prudent de le surveiller pendant quelques jours.

– Tu as raison, papa, dit Alicia en se baissant pour caresser le chiot, qui s'était déjà roulé en boule dans son panier.

– Qu'est-ce qu'il a? Il est malade? s'inquiéta Cathy.

– La plupart du temps il va très bien, expliqua John Bruce. Mais il fait des crises d'épilepsie, et il doit prendre un comprimé tous les jours à la même heure.

– Oh! pauvre Hamish, dit Cathy. Tu

veux que je reste avec toi? proposa-t-elle à Alicia.

Son amie lui sourit.

– Non, ne t'en fais pas pour moi – ni pour Hamish. On est habitués. Vas-y, et amuse-toi bien.

Cathy leva les yeux vers le père d'Alicia.

– Merci, monsieur Bruce!

Pendant que les Hope repéraient sur une carte les zones qu'ils allaient survoler le lendemain, Mme Bruce arriva à la maison.

Une fois les présentations terminées, Grace Bruce insista pour que les Hope dînent avec eux.

– Je n'ai pas encore eu l'occasion de faire votre connaissance, moi! s'exclama-t-elle lorsque Emily protesta poliment. Je vous en prie, restez!

Pendant le repas, la conversation porta surtout sur les ours polaires. M. Bruce divertit ses hôtes en leur racontant son travail avec les « géants blancs », comme il les appelait affectueusement. Il était onze heures passées quand ils enfilèrent leurs manteaux pour partir. Cathy frissonnait d'avance en pensant à la marche dans le froid glacial jusqu'à l'hôtel.

– Quelle famille charmante! remarqua Adam Hope tandis qu'ils se mettaient en route.

– Et c'est vraiment adorable de leur part de nous offrir l'hospitalité, renchérit Emily. Ce sera mille fois plus agréable d'être chez eux plutôt qu'à l'hôtel.

– En plus, Alicia est super sympa! conclut Cathy. Vivement demain!

Elle bâilla et regarda le ciel velouté au-dessus d'elle, où brillaient des millions d'étoiles. Dire que le lendemain matin elle allait voir les ours depuis là-haut!

3

Adam Hope gara le 4x4 de location au bord de la piste de l'aérodrome, à une distance prudente de l'hélicoptère. Cathy descendit du véhicule et fit de grands signes de main à Alicia. La jeune fille sortait d'un petit bâtiment, suivie de près par M. Bruce. Elle portait Hamish dans ses bras.

– C'est le temps idéal! lança-t-elle à Cathy en montrant le ciel d'un bleu limpide. Tu vas te régaler. On a une vue géniale, de là-haut.

– Tu viens, finalement? lui demanda

Cathy avec espoir. Elle ne s'attendait pas à voir son amie ce matin.

— Non, je vais vous attendre avec Hamish dans le bureau de papa. Je suis juste venue vous dire bonjour.

En se hissant dans l'hélicoptère, Cathy échangea un clin d'œil avec ses parents, qui attachaient leurs ceintures de sécurité. Une fois installée à l'arrière, elle tapota légèrement la bulle vitrée pour évaluer sa résistance. Ça ne semblait pas très solide! Elle croisa le regard d'Alicia, qui lui souriait depuis la porte du bureau.

— Ça va bien se passer! articula silencieusement celle-ci.

— À plus tard! lui cria Cathy tandis qu'ils décollaient.

Bientôt, l'hélicoptère survola la toundra.

— Incroyable! s'exclama Adam Hope. C'est un véritable désert de glace!

Cathy contempla le paysage au-dessous d'elle. À perte de vue, la terre était nappée de blanc, comme un gâteau géant.

— Regardez, fit M. Bruce. Un renard rouge!

– Hein ? Où ça ?

Cathy se contorsionna et finit par distinguer l'animal. Il traversait l'étendue neigeuse telle une flèche rouge sombre. John Bruce changea brusquement de cap, et l'hélicoptère descendit en piqué. L'estomac de Cathy fit une embardée.

Elle poussa un cri de joie :

– Des ours !

Ils se rapprochèrent d'un petit groupe d'ours polaires qui paressaient dans la neige.

– C'est grandiose ! s'écria M. Hope en sortant son appareil photo.

Alertés par le bruit du moteur, les ours levèrent la tête et commencèrent à se disperser. Un ourson prit la fuite. D'autres continuèrent à jouer ou à nourrir leurs petits, comme si de rien n'était.

John Bruce changea de nouveau sa trajectoire.

– Oh, on part déjà ? murmura Cathy, déçue.

Elle colla son front contre la vitre pour ne pas perdre de vue le petit ours pressé.

– Je ne veux pas les faire courir, Cathy, expliqua le shérif polaire. En ce moment, les ours ne doivent pas dépenser trop d'énergie. Ils ont le ventre vide, et il faut qu'ils gardent assez de forces pour aller chasser sur la glace. En plus, leur fourrure est tellement isolante qu'ils risquent de mourir s'ils ont trop chaud.

Cathy se retourna sur son siège et jeta un dernier coup d'œil vers les ours. Ils regardaient en l'air avec méfiance.

Soudain, la radio de John Bruce se mit à grésiller. Après quelques secondes de chuintements, une voix d'homme se fit entendre, aboyant une sorte de code.

– Je te reçois, Mike, dit M. Bruce en parlant fort dans son micro-casque.

– Une femelle et deux petits…, continua Mike. Ils courent dans Churchill… Tu peux nous donner un coup de main ?

– J'arrive !

John Bruce fit décrire à l'hélicoptère un grand arc de cercle en direction de l'ouest.

– Où sont-ils, Mike ?

— Ils se dirigent vers la décharge. Essaie de leur faire faire demi-tour, d'accord ? On a un car plein de touristes qui vient juste d'arriver en ville.

— Pas de problème. Je suis en route.

M. Bruce se tourna vers les Hope et souleva les épaules en signe d'excuse :

— Désolé… Le devoir m'appelle !

— Que se passe-t-il ? interrogea Cathy, qui n'était pas sûre d'avoir bien compris la conversation.

— Des ours sont entrés en ville. On mobilise tous les hélicos pour essayer de leur faire rebrousser chemin.

— Est-ce que vous allez vous poser pour nous faire descendre ? poursuivit Cathy. Elle espérait une réponse négative.

M. Bruce secoua la tête :

— Je n'ai pas le temps. Il faut les repousser dans la toundra le plus vite possible.

Cathy frissonna d'excitation à l'idée de participer à une telle mission. Elle se tourna vers sa mère :

– Ils ne vont pas leur faire de mal, n'est-ce pas ?

– Bien sûr que non, ma chérie, ces ours sont protégés, tu sais !

– On aime beaucoup nos ours polaires, Cathy, la rassura M. Bruce. On veut juste les empêcher de prendre les habitants de Churchill pour un casse-croûte !

Cathy sourit et se remit à regarder en bas. Ils survolaient la ville à présent. John Bruce tapota le pare-brise :

– À en juger par ce remue-ménage, on a localisé nos ours.

En effet, trois hélicoptères apparurent dans le ciel, vrombissant au ras des toits.

– Ici ! s'exclama soudain Cathy. Il y a un petit !

– Bien vu, Cathy ! la félicita M. Bruce. La mère ne doit pas être loin.

Effrayé par le vacarme, le petit ours blanc se faufila sous un camion à l'arrêt. Moins d'une seconde plus tard, sa mère jaillit d'une porte cochère, un autre ourson sur ses talons.

– Les voilà ! s'écria Cathy. Ils sont trois. Qu'est-ce qui va se passer maintenant ?

– On va essayer de les chasser dans la toundra, dit M. Bruce.

Le petit ours quitta l'abri du camion et rejoignit sa mère, qui le saisit avec ses dents par la fourrure du cou. L'ourse le secoua légèrement, comme pour le réprimander. Puis elle le reposa brutalement à terre et se mit en marche en poussant ses petits devant elle.

– Ils quittent la ville ? demanda Adam Hope.

Le shérif polaire semblait contrarié :

– Non ! Ils vont vers la décharge ! On dirait bien que ces trois-là n'ont qu'une idée en tête : manger ! Et je ne peux pas m'approcher davantage…

Il reprit, dans son micro-casque :

– Rien à faire, Mike. Les ours se dirigent vers la décharge.

Ignorant le vrombissement des hélicoptères au-dessus d'elle, l'ourse paraissait déterminée à atteindre son but.

— On va devoir continuer à pied, prévint M. Bruce. Je conduis l'hélicoptère à la base. On en profitera pour prendre le matériel…

— Des fléchettes anesthésiantes ? devina Adam Hope.

— Exact ! dit John Bruce.

Il se tourna vers Cathy et Emily :

— Je parie que vous ne vous attendiez pas à vivre tout ça aujourd'hui !

— C'est vrai, admit Mme Hope. Mais c'est une expérience formidable.

M. Bruce fit un clin d'œil complice à Cathy :

— Tu tiens le coup, ma grande ?

— C'est super excitant ! s'exclama-t-elle.

— Parfait. Alors on se dépêche d'atterrir. On poursuivra l'opération au sol.

4

De retour sur l'aérodrome, Cathy s'empressa de détacher sa ceinture et de sauter au sol. Elle avait hâte de passer à l'action, et elle s'inquiétait pour les ours. John Bruce serait-il capable de les ramener dans la toundra avant qu'une catastrophe ne se produise? Elle craignait que l'ourse affamée attaque quelqu'un en ville et se fasse tuer. Que deviendraient alors ses petits?

Les trois autres hélicoptères se posèrent sur la piste, et les pilotes rejoignirent M. Bruce dans son bureau. M. et Mme Hope

aidèrent l'équipe à réunir le matériel néces-
saire à la poursuite. Ils chargèrent de puis-
santes lampes-torches et des pistolets à
fléchettes anesthésiantes dans les 4x4 de
patrouille.

Cathy vit Alicia se hâter dans sa direction. Le museau de Hamish dépassait du col
de sa parka.

– Il paraît que des ours sont entrés en
ville ! dit-elle, essoufflée.

– Oui, une mère et ses deux petits,
confirma Cathy. J'espère qu'ils vont s'en
sortir.

Alicia lui sourit :

– Ne t'inquiète pas. Papa va les aider.
Personne ne connaît les ours polaires mieux
que lui.

– Tu viens, Cathy ? cria M. Hope, déjà
installé au volant de leur jeep. On accompagne John pour lui donner un coup de main.

Cathy se précipita dans la voiture tandis
qu'Alicia rejoignait le 4x4 de son père.
Adam Hope fit ronfler son moteur et suivit
la patrouille en direction de Churchill. Le

shérif polaire conduisait à toute allure sur la route glacée, et Adam Hope plissait le front de concentration. Devinant qu'il avait du mal à suivre le rythme, Cathy l'encouragea :

— Vas-y, papa !

— Je fais tout mon possible, ma chérie. Mais je te rappelle que les ours ont une longueur d'avance sur nous ! Tiens, John s'arrête ! On doit être arrivés à la décharge.

Adam Hope se rangea sur le bas-côté, près des autres 4x4. Cathy descendit de voiture sans tarder.

Derrière un grillage s'étendait un vaste terrain au sol noir comme du charbon, parsemé de détritus. Des bulldozers jaunes s'affairaient çà et là, semblables à des géants métalliques. D'énormes tas de sacs poubelles pleins à craquer étaient appuyés contre la haute clôture. Par endroits, certains gisaient, éventrés, leur contenu éparpillé dans la boue.

Des portières de voitures claquèrent autour d'eux et l'équipe du shérif mit pied à terre.

John Bruce se munit d'un pistolet à

fléchettes anesthésiantes.

– Plus un bruit ! ordonna-t-il. Il ne faut surtout pas les effrayer.

Ses collègues et lui commencèrent à explorer les alentours. Cathy rejoignit Alicia. Hamish somnolait dans sa parka. La jeune fille descendit la fermeture éclair et le petit chien risqua un œil à l'extérieur.

– Salut Hamish, chuchota Cathy.

– Chut ! commanda John Bruce.

Cathy se sentit rougir.

Dans le silence, on entendit soudain un craquement derrière une montagne de sacs. M. Bruce appela ses coéquipiers avec de grands signes du bras. Le cœur de Cathy accéléra. Toujours silencieux, John Bruce et son équipe s'approchèrent du tas de sacs, d'où provenait maintenant un bruit de succion.

– On dirait qu'elle a trouvé quelque chose à manger, murmura Emily Hope.

M. Bruce progressait parmi les détritus. Soudain, il trébucha et tomba de tout son long. Une bouteille alla cogner la clôture avec fracas. Alertée, l'ourse surgit de derrière les sacs d'ordures, tout près du grillage métallique. Dressée sur ses pattes arrière, elle mesurait plus de deux mètres de haut. Cathy retint sa respiration. L'ourse fit claquer ses griffes et baissa sa tête en haletant violemment. Puis elle se laissa retomber lourdement et fonça vers la porte de la décharge – et vers John Bruce, allongé en travers du passage. Les oursons couraient à sa suite.

Cathy regarda Alicia. Les yeux de son amie exprimaient une intense frayeur. De toute évidence, elle se retenait d'appeler son père. Celui-ci, toujours couché au sol, avait recouvert sa tête de ses mains. Deux hommes visaient le flanc de l'ourse avec des pistolets anesthésiants. L'un d'eux tira… et manqua sa cible. Cathy sursauta lorsqu'elle vit un troisième homme braquer un véritable fusil sur l'ourse. Si elle décidait d'attaquer le shérif polaire, il tirerait, c'était certain.

Mais l'ourse accéléra et passa au galop devant John Bruce. Elle franchit la porte et se précipita sur la route. Ses pattes frappaient le sol à une vitesse impressionnante. L'homme au fusil baissa son canon.

— Ça va, John ? cria-t-il à M. Bruce.

— Ça va ! répondit celui-ci en se remettant debout.

Il brossa le devant de sa veste.

— C'est une rusée. Il va falloir s'accrocher !

Il courut jusqu'à la barrière : les trois ours s'éloignaient en trottant dans la rue.

Au même instant, Cathy entendit Alicia crier. Elle se retourna et vit la jeune fille aux prises avec Hamish. Le petit chien se tortillait frénétiquement dans son manteau. D'un coup de reins, il se libéra et bondit à terre. Puis il partit comme une flèche.

— Hamish ! hurla Alicia. Vilain chien ! Reviens tout de suite !

Consternée, Cathy se précipita vers son amie :

— Papa ! Hamish s'est échappé ! Il veut rattraper les ours !

Alicia était toute pâle.

— Il faut que je le récupère, gémit-elle.

5

– Hamish ne s'attaquerait pas à un ours polaire, quand même ! dit Cathy pour tranquilliser Alicia.

– Qui sait ce qu'il va faire ! répondit son amie, un sanglot dans la voix.

Elle frissonna et remonta la fermeture éclair de sa parka.

– Et même s'il ne l'attaque pas… je ne veux pas qu'il s'en approche ! s'exclama-t-elle. En plus… c'est l'heure de son médicament !

– Ne t'en fais pas, on va le retrouver ! la réconforta Cathy.

Elle hésita :

– Tu veux qu'on essaie de le rattraper ?

Elle n'était pas rassurée à l'idée de s'aventurer dans la même direction que l'ourse affamée.

– Oui, allons-y ! décida Alicia.

M. Bruce s'approcha de sa fille en boitant légèrement.

– Attends, ma grande, dit-il doucement.

Il posa la main sur l'épaule d'Alicia :

– On doit partir à la recherche de l'ourse. Il n'y a pas une seconde à perdre.

Il fit un signe à ses coéquipiers, et les quatre hommes se réunirent autour de lui.

– Séparons-nous, proposa-t-il. Bill et Mike, prenez la rue principale vers l'ouest. Dave et Wayne, restez ici au cas où l'ourse reviendrait à la décharge. Mais ne tirez que si vous êtes sûrs de ne pas la manquer. Je ne veux pas la mettre en colère. Nous allons suivre ses traces à partir de la barrière.

– Moi, je pars chercher Hamish ! déclara Alicia.

– Tu restes avec moi ! ordonna John

Bruce. On se dirige vers l'est avec Emily et Adam. Cathy et toi, vous pouvez nous accompagner, mais ne vous éloignez pas. Et surtout, arrêtez-vous si je vous le demande !

– D'accord papa, céda Alicia à contre-cœur.

– Très bien. Adam, vous pouvez porter ce sac ? demanda M. Bruce.

– Bien sûr !

M. Hope passa le sac à dos de toile bleue sur ses épaules.

– Alors, en route ! On cherche les traces dans la neige !

Le petit groupe s'ébranla dans la rue. John Bruce avançait en tête, attentif à ne pas perdre de vue les larges empreintes des pattes de l'ourse. M. et Mme Hope lui emboîtaient le pas, et Alicia et Cathy fermaient la marche. Personne ne parlait, mais Emily Hope se tournait régulièrement pour adresser aux deux filles des sourires d'encouragement.

Le ciel s'était assombri, et il se mit à neiger.

– Dépêchons-nous, dit Cathy à Alicia. La neige risque de recouvrir les traces.

Alicia désigna les empreintes du chiot :

– Par là ! Hamish a tourné à droite !

– Hamish ? appela Cathy en suivant son amie dans la rue transversale.

Soudain, Cathy remarqua d'autres traces dans la neige. Beaucoup plus grandes, et plus profondes, accompagnées de deux chapelets d'empreintes de taille moyenne.

– L'ourse et ses petits ont tourné ici aussi ! s'écria-t-elle en saisissant la manche d'Alicia.

Les mots lui avaient échappé avant qu'elle ait eu le temps de réfléchir, et Alicia devint encore plus pâle.

– Hamish ! Hamish ! cria-t-elle de nouveau d'une voix paniquée.

– Du calme, jeune fille ! dit son père en les rejoignant dans la ruelle. Ne t'inquiète pas. On va le retrouver, ce brigand de chien.

John Bruce les dépassa, scrutant le sol à travers les flocons qui tombaient de plus en plus dru. Tous progressaient péniblement dans un labyrinthe de rues désertes. De temps en temps, un visage surgissait derrière une fenêtre, à demi dissimulé par les rideaux. Malgré ses gants, Cathy commençait à avoir les doigts tout engourdis, et elle ne sentait plus ses orteils. La neige fraîche avait recouvert presque toutes les traces.

Épuisée, la jeune fille songeait qu'elle ne pourrait plus marcher très longtemps quand, tournant au coin d'une rue, elle tomba nez à nez avec l'ourse polaire. Elle se figea et laissa échapper un petit cri étouffé. John Bruce arriva en courant à sa hauteur et s'immobilisa à son tour.

– Te voilà, ma belle…, murmura-t-il à l'ourse.

Il leva son pistolet anesthésiant et le braqua devant lui.

L'ourse semblait lasse de la poursuite. Elle était affalée contre le mur d'un cabanon en bois. Ses petits se pressaient contre son flanc, comme s'ils avaient voulu s'enfoncer dans sa fourrure.

M. Bruce inspira un grand coup. Il fit glisser sa main le long du pistolet et ôta la sécurité.

Cathy entendit ses parents s'arrêter derrière elle. Alicia la rejoignit très lentement et prit sa main dans la sienne. Doucement, elle la fit reculer.

Cathy claquait des dents, et le bruit de ses mâchoires lui paraissait assourdissant, tant le silence était profond.

L'ourse polaire se dressa sur ses pattes arrière. Elle secoua la tête d'un côté, puis de l'autre, et découvrit ses crocs dans un grondement sourd.

Cathy admirait le courage du shérif: l'ourse le regardait droit dans les yeux, mais John Bruce ne bougea pas un muscle. Il visait calmement la poitrine de l'animal.

La neige tombait à gros flocons, et Cathy se demanda s'il arrivait à bien distinguer sa cible.

Tout à coup, un des petits se détacha de sa mère et fila derrière la remise.

Plusieurs secondes s'écoulèrent. L'ourse

semblait hésiter : devait-elle suivre le petit fugitif, ou rester sur place pour protéger l'autre ?

Mais avant qu'elle se fût décidée, M. Bruce tira.

6

L'ourse fit un bond quand la fléchette pénétra dans son épaule. Elle roula des yeux, découvrit ses dents et vacilla. Alicia se serra contre Cathy.

– J'espère que ça fera effet rapidement, chuchota-t-elle.

Au même instant, Hamish jaillit de derrière un tonneau. Jappant avec fureur, le petit chien fonça sur l'ourse, la queue frétillant d'excitation.

– Hamish! hurla Alicia.

– Reste en arrière! ordonna John Bruce.

Il va se débrouiller tout seul.

Le cœur de Cathy battait à tout rompre. L'ourse polaire essayait de suivre le chien du regard en tournant la tête, mais ses mouvements devenaient lents et pesants. Soudain, elle cligna des yeux et bascula sur le côté. Puis, dans un grand soupir, elle laissa tomber la tête sur ses pattes avant.

— Ne bougez pas ! avertit M. Bruce. Elle n'est peut-être pas tout à fait endormie.

Le petit ours tentait désespérément de se libérer des pattes de sa mère. Il creusait la neige avec frénésie en poussant des cris aigus. Cathy aurait voulu se précipiter pour le prendre dans ses bras.

— Pauvre petit ! murmura-t-elle.

Hamish continuait à aboyer de fureur, les poils hérissés.

— Est-ce qu'elle dort maintenant ? demanda Alicia à son père.

John Bruce s'approcha prudemment de l'ourse. Il appuya une botte contre sa poitrine. Avec un cri terrifié, le petit se serra contre sa mère. L'ourse grogna, et sa tête partit sur le côté.

– C'est bon, annonça le shérif en enclenchant la sécurité de son pistolet.

Alicia se précipita pour attraper Hamish. Elle le souleva dans ses bras et lui couvrit la tête de baisers.

– Vilain, vilain chien ! le gronda-t-elle. Tu as failli te faire dévorer !

Cathy caressa les oreilles veloutées d'Hamish. Soulagée qu'il soit sain et sauf, elle s'inquiétait maintenant pour les oursons. L'un d'eux avait disparu, et l'autre était complètement affolé.

– Est-ce qu'elle va bien ? souffla-t-elle en montrant l'ourse assoupie.

– Mais oui ! répondit M. Bruce. Elle va juste dormir pendant deux ou trois heures.

Il s'accroupit près de l'ourse.

– Adam, pourriez-vous sortir une seringue du sac ? demanda-t-il à M. Hope. Il faudrait injecter une mini dose de tranquillisant au petit.

John Bruce tendit la main vers l'ourson,

qui tenta de se glisser sous la fourrure de sa mère. Puis le petit ours fit quelques pas à reculons et s'élança dans la direction de M. Hope.

– Attrapez-le, Adam! s'écria John Bruce.

Celui-ci bondit et écarta les bras pour lui barrer la route. Effrayé, l'ourson fit demi-tour et M. Bruce le plaqua au sol.

– Je te tiens! se réjouit-il.

Adam Hope prépara la piqûre et planta l'aiguille dans le cou du petit. Quelques secondes plus tard, l'ourson relâcha ses muscles et s'endormit profondément.

– Ouf! dit John Bruce. Il est plus costaud qu'il en a l'air !

– C'est une femelle, annonça M. Hope. Elle doit avoir à peu près sept mois.

– Elle est adorable ! s'exclama Cathy.

Elle caressa la fourrure rugueuse et très sale, enchantée de toucher un vrai ours polaire.

– Que va devenir l'autre petit? demanda-t-elle avec anxiété.

– Ne t'inquiète pas, répondit M. Bruce. Il

n'a pas dû aller bien loin. Je vais envoyer des hommes à sa recherche dès qu'on aura chargé ces deux-là dans le camion.

Il détacha l'émetteur radio de sa ceinture et résuma la situation aux membres de son équipe.

Bientôt, une Land Rover s'arrêta derrière eux et les collègues du shérif polaire en descendirent. Un des hommes examina les oreilles de la grande femelle.

– Pas d'étiquette, pas de tatouage, constata-t-il. C'est la première fois qu'on l'attrape.

– Elle est maigre, commenta un autre. La pauvre, elle doit s'épuiser à nourrir ses deux petits !

– Papa ? intervint Alicia. Je voudrais ramener Hamish à la maison. Il est gelé.

– Demande à quelqu'un de t'y conduire, ma chérie. Je veux transporter ces deux-là au refuge des ours polaires avant qu'ils ne se réveillent. Et je dois aussi former une équipe pour rechercher l'ourson disparu.

– Je raccompagne Alicia, proposa un collègue du shérif. Puis je partirai à la recherche du petit.

– Merci Bill, dit M. Bruce. Vas-y avec Dale. Prévenez-moi par radio si vous le trouvez.

Il jeta un coup d'œil sur sa montre. Il n'était que trois heures, pourtant le jour déclinait déjà.

Alicia porta Hamish dans la Land Rover.

– Au revoir, tout le monde ! lança-t-elle en posant le chiot sur le siège du passager.

– Au revoir, Alicia ! répondit Cathy. J'espère qu'Hamish va se remettre de ses émotions.

Elle se tourna vers son père :

– M. Bruce a dit qu'il allait conduire les ours polaires au refuge. De quoi s'agit-il ?

– C'est un bâtiment où on enferme les ours pour les empêcher de revenir en ville. On les relâche dès que la baie est gelée.

– Est-ce qu'on peut leur rendre visite là-bas ? demanda Cathy.

Son père secoua la tête :

— Non, je ne crois pas. Ce n'est pas un zoo. Les ours ne sont même pas nourris. On leur donne juste de l'eau.

Le soir tombait, et des lumières commençaient à s'allumer un peu partout. Cathy eut une pensée pour le petit ours qui errait tout seul dans la ville.

— John, peut-on vous aider à chercher l'ourson disparu ? proposa Mme Hope.

— Merci, Emily, répondit M. Bruce, mais je préférerais que vous m'accompagniez au refuge. C'est le plus urgent. Après, on donnera un coup de main à Bill et à Dale.

Il releva la tête :

— Ah, voilà Mike !

Un grand camion à plateau reculait dans la rue étroite. Le conducteur sauta à terre. M. Bruce s'approcha et, avec l'aide de Mike, tira l'ourse polaire sur une civière de toile.

Puis ils la hissèrent sur la plate-forme arrière. Adam Hope déposa doucement la petite ourse contre elle. Son minuscule museau disparut dans les longues mèches de fourrure de sa mère.

— Et voilà! dit John Bruce avec satisfaction. Ils sont prêts pour le voyage.

Il remballa rapidement son équipement, puis se tourna vers Cathy et ses parents :

— Allons-y! Il n'y a pas un instant à perdre. Regardez! Il hocha la tête en direction du véhicule.

Cathy sursauta en voyant la grande femelle ouvrir un œil. Elle tentait de soulever la tête.

— Allez, tout le monde dans le camion! ordonna John Bruce. On récupérera votre 4x4 au retour.

7

Cathy fit le voyage à côté de John Bruce. Sur la plate-forme arrière, l'ourse polaire reposait, la tête entre ses pattes, son petit blotti contre elle. Mike s'était accroupi à côté d'elles, un pistolet anesthésiant à la main. Cathy espérait qu'il n'aurait pas besoin de s'en servir. Elle se tourna vers M. Bruce:

– Pourquoi les ours ne montent pas chasser plus au nord, au lieu d'attendre ici, le ventre vide? Il doit bien y avoir des phoques, là-haut?

— Oui, c'est vrai, intervint Adam Hope, assis avec Emily sur la banquette arrière. Mais il y a d'autres ours là-bas. Et un ours étranger qui pénètre sur un territoire risque de se faire attaquer par ses congénères. Les mâles surtout sont très agressifs.

— Et puis, ceux-ci ont grandi dans les parages de Churchill, ajouta John Bruce. Ils sont chez eux, ici. S'ils n'entraient pas en ville pour chercher à manger, tout irait bien…

Il quitta la rue principale et arrêta le camion devant un grand hangar métallique.

— Bienvenue au refuge ! fit-il en descendant de la cabine.

Cathy se laissa glisser de son siège et lui emboîta le pas. Un engin étrange était posé dehors, à demi recouvert par la neige. C'était une espèce de grand baril allongé, monté sur quatre roues et fermé par une grille de fer.

— Qu'est-ce que c'est ? demanda-t-elle en se rapprochant.

— Un piège, expliqua M. Bruce. On

accroche un morceau de viande à l'intérieur, et on tente d'attraper les ours avant qu'ils n'entrent en ville.

À cet instant, un cri de Mike les fit se retourner :

— Elle essaie de se relever !

— Aïe ! dit John Bruce. Il va falloir s'activer.

Cathy aida son père à déverrouiller le hayon de la remorque. Les yeux de l'ourse étaient grands ouverts, mais elle restait immobile. Soudain, son corps fut pris de tremblements.

— Que se passe-t-il ? s'alarma Cathy.

— Elle a des convulsions, diagnostiqua Adam Hope. Elle est stressée parce qu'elle nous voit s'agiter autour d'elle sans pouvoir bouger. Ça va passer.

Mike sauta du camion et courut ouvrir le refuge. Dans un grand fracas, la porte métallique coulissa, découvrant deux rangées de cages.

John Bruce bondit sur la plate-forme et s'accroupit à la tête de l'ourse.

– Adam, pourriez-vous nous aider à la glisser sur la civière, s'il vous plaît ? Emily et Cathy, il faudrait sortir l'ourson en premier…

Cathy était ravie de se rendre utile. Elle saisit la petite ourse sous les pattes avant et la tira délicatement. Mme Hope lui attrapa les pattes arrière, et toutes les deux la transportèrent dans le bâtiment.

Depuis l'enfilade des cages, les yeux noirs des ours les fixaient attentivement.

– Mettez-la là-dedans ! cria John Bruce en désignant un enclos vide tout au fond du hangar.

Cathy et sa mère manœuvrèrent leur fardeau pour franchir la porte et allongèrent doucement l'ourson sur le sol de béton. Les trois hommes les rejoignirent dans la cage et posèrent l'ourse à côté.

– Elle pèse son poids ! s'exclama Adam Hope, rouge d'effort.

Cathy s'agenouilla à côté de la petite ourse. Elle lui caressa tendrement la tête, lissant la fourrure autour de ses oreilles.

— Merci pour votre aide, dit joyeusement John Bruce. On a fait du bon travail ! On va attendre un peu, jusqu'à ce que la mère soit tout à fait réveillée.

— Combien de temps vont-elles rester ici ? demanda Cathy.

— On ne va pas tarder à les relâcher. La température baisse. Ce sera sûrement pour la semaine prochaine.

Le shérif polaire verrouilla la porte de la cage. Cathy se rappela soudain l'ourson disparu :

— Et l'autre petit ? Vous croyez qu'ils l'ont retrouvé ?

— Je l'espère.

John Bruce jeta un coup d'œil sur sa montre :

— Mais vous n'avez pas déjeuné, et il est presque l'heure de dîner. Si on rentrait chez moi manger quelque chose ?

Un vent du nord s'était levé, accentuant encore le froid. La neige tombait toujours, et le ciel s'assombrissait.

– Ce vent est vraiment le bienvenu. S'il continue de souffler, la baie va geler, prédit M. Bruce tandis qu'ils regagnaient le camion.

Avant de démarrer, il décrocha l'émetteur radio et appela ses collègues. Au milieu des grésillements, la voix de Dale annonça que Bill et lui n'avaient toujours pas retrouvé l'ourson. Cathy, anxieuse, saisit le bras de son père. Elle croisa le regard de M. Bruce dans le rétroviseur.

– Ils vont lui mettre la main dessus, affirma le shérif polaire. Ils ont l'habitude.

De retour chez les Bruce, Cathy retira son manteau et ses bottes avec soulagement. Dans la chaleur de la cuisine, ses orteils dégelèrent enfin.

Mme Bruce versa une louche de soupe de légumes dans un bol et beurra une tranche de pain. Elle tendit le tout à Cathy :

– Voilà. Goûte donc ça pour commencer. Je cuisinerai un vrai repas un peu plus tard.

– Oh, merci ! s'écria Cathy.

Elle s'assit à côté d'Alicia et mangea de bon appétit. La soupe était brûlante, mais délicieuse.

Soudain, on frappa à la porte.

— J'y vais, dit John Bruce. C'est certainement Bill et Dale.

Il sortit et ferma soigneusement la porte derrière lui.

— Cette soupe est un régal! s'exclama Adam Hope.

— Mmm, oui! C'est vraiment excellent, renchérit Emily.

Elle était assise dans un fauteuil, les jambes étendues vers la cheminée. Dehors, le vent faisait claquer les volets. Un bruit de voix étouffées leur parvenait depuis le couloir. Enfin, M. Bruce revint.

— Alors? interrogea Alicia.

Son père semblait ennuyé :

— Aucune trace de l'ourson. On arrête les recherches pour cette nuit.

— Il neige fort, remarqua Mme Bruce en regardant par la fenêtre. De toute façon, les traces sont recouvertes maintenant.

– Ils recommenceront à chercher demain ? se renseigna Cathy.

– Bien sûr, confirma le shérif. À la première heure.

– On pourrait peut-être vous aider, proposa Adam Hope.

Cathy sourit à son père avec reconnaissance. Il devait lire dans ses pensées.

– Avec plaisir ! accepta John Bruce. Soyez prêts pour huit heures et demie. C'est l'heure à laquelle le soleil se lève.

8

Quand le soleil parut à l'horizon le lendemain, il neigeait toujours. Dans la chambre
d'Alicia, les deux amies s'habillèrent rapidement, impatientes de partir à la recherche
de l'ourson.

Pendant le petit déjeuner, John Bruce leur
exposa son programme :

— Je vous emmène avec moi dans le
camion. Tes parents sont déjà partis avec
Mike et Bill, ajouta-t-il à l'intention de
Cathy.

La jeune fille était tout excitée par la

perspective de se joindre une nouvelle fois à l'équipe de M. Bruce. Elle se hâta de terminer son bol de chocolat et enfila sa parka.

– Avec toute cette neige, on se croirait à Noël ! s'écria-t-elle en franchissant le seuil.

– Mais c'est Halloween ! précisa Alicia en sortant à son tour. Et c'est ma fête préférée !

Les deux amies grimpèrent dans le camion à la suite de John Bruce.

– On va aller jusqu'à la baie, expliqua celui-ci. Le petit ne peut pas s'être aventuré plus loin. Puis on commencera à chercher en revenant progressivement vers la ville.

– D'accord ! s'exclamèrent en chœur Cathy et Alicia.

Elles s'assirent très droites sur leur siège et se mirent à scruter les alentours.

M. Bruce parcourut patiemment les faubourgs de la ville, tandis que les deux jeunes filles regardaient à droite et à gauche. Mais l'ourson restait introuvable. Ils dépassaient un ensemble de cabanes de bois délabrées quand le shérif polaire freina d'un coup sec. Des empreintes de pattes d'ours se détachaient nettement sur la neige immaculée, assez petites pour être celles d'un bébé. Le cœur de Cathy fit un bond dans sa poitrine.

– Vite, on descend ! s'impatienta Alicia. Il doit être tout près.

M. Bruce prit une petite boîte de plastique sur le tableau de bord. Elle contenait une seringue pleine. Cathy devina qu'il s'agissait d'une dose d'anesthésiant.

Les deux amies escortèrent le père d'Alicia, qui remontait les empreintes en direction des cabanes. D'un geste, M. Bruce leur recommanda de ne faire aucun bruit. Les traces menaient à une remise dont la porte était entrebâillée. John Bruce la poussa aussi silencieusement que possible. Aussitôt, un curieux claquement se fit entendre.

– C'est lui ! chuchota Alicia en suivant son père à l'intérieur. Il claque des dents.

Cathy entra derrière eux. Son excitation

était à son comble. Ses yeux s'habituèrent petit à petit à l'obscurité, et elle aperçut enfin l'ourson.

Il était blotti sous une planche de bois qui avait dû faire office d'étagère. Cassée à une extrémité, elle formait une cachette à sa taille. Le petit animal cligna des yeux, regardant avec terreur les étrangers qui s'approchaient de lui. John Bruce posa un genou à terre et l'observa attentivement.

– Dans quel état tu t'es mis! murmurat-il. Tu es tout crasseux.

Cathy s'émut à la vue de l'ourson malheureux. Il était plus petit que sa sœur jumelle, et surtout beaucoup plus maigre. Elle aurait voulu se précipiter pour le serrer contre elle, mais elle savait que, même si ce n'était qu'un bébé, il pouvait être agressif.

Et puis, elle ne voulait pas l'effrayer davantage.

M. Bruce se pencha vers l'ourson et lui parla à voix basse. Le petit animal avait tellement reculé que ses pattes arrière s'appuyaient contre le mur de la remise. Il grognait et claquait bruyamment des mâchoires en fixant la main tendue du shérif polaire.

— Allons, voilà…, chuchota M. Bruce.

Il tenta d'attraper le petit ours, mais celui-ci avait d'autres projets. Il jaillit de dessous la planche et fonça vers la porte ouverte. Alicia tenta de lui barrer le passage et, dans sa panique, l'ourson vira à droite. Le souffle coupé, Cathy le vit se précipiter sur une fourche rouillée appuyée contre un mur.

Le petit ours poussa un cri strident. Du sang rouge vif commença à maculer sa fourrure. Une dent de l'outil était entrée profondément dans sa poitrine et l'empêchait de bouger. John Bruce réagit aussitôt.

— Ne t'en fais pas, on va te tirer de là ! dit-il d'une voix apaisante en sortant la seringue de sa boîte.

Il se pencha et lui injecta l'anesthésiant dans le cou.

Le petit blessé lutta à peine. Bientôt, il ferma les yeux, et son corps s'affaissa sous l'effet de la drogue. En un rien de temps,

John Bruce extirpa la pointe de la fourche de sa chair. La blessure était béante.

— Est-ce que l'une de vous aurait…, commença-t-il en regardant autour de lui.

Cathy, qui savait exactement ce qu'il allait demander, déroula son écharpe de soie et la tendit à John Bruce. Le shérif polaire lui sourit avec gratitude. Il passa le foulard sous la patte avant de l'ourson et l'enroula plusieurs fois autour de sa poitrine.

— Il perd beaucoup de sang ! constata-t-il. Il faut le ramener d'urgence pour le soigner, ou il mourra.

— Si seulement mes parents étaient là ! gémit Cathy. Papa ne se déplace jamais sans sa trousse de vétérinaire.

— Ils sont certainement tout près, dit calmement John Bruce. Le vétérinaire avec qui on travaille d'habitude vit à l'autre bout de la ville. On aura plus vite fait de rejoindre tes parents. Venez, transportons l'ourson dans le camion. Je vais les appeler par radio.

9

Cathy et Alicia étendirent l'ourson blessé sur leurs genoux, tandis que John Bruce se hâtait vers le centre-ville. En route, il appela Mike avec sa radio et lui demanda de ramener le plus vite possible M. et Mme Hope chez lui.

Cathy fut soulagée d'apprendre que ses parents venaient à leur rencontre. Le petit ours saignait toujours malgré l'écharpe, et sa respiration était saccadée.

— Presse la paume de ta main contre la blessure, conseilla M. Bruce à Cathy.

La jeune fille obéit, et l'animal gémit dans son sommeil.

— Dépêchez-vous, monsieur Bruce! implora-t-elle alors qu'ils tournaient dans la rue principale.

— On y est presque!

Le camion s'arrêta enfin devant le numéro 43.

— Restez là, dit le père d'Alicia en descendant. Je vais voir si Adam et Emily sont arrivés.

Il monta l'escalier quatre à quatre. Les deux amies échangèrent un regard anxieux.

— Voilà papa! s'écria Cathy lorsqu'elle vit Adam Hope apparaître sur le seuil.

Il ouvrit la portière.

— Pauvre petit! murmura-t-il en soulevant doucement l'ourson. Cathy, va me chercher mon sac, s'il te plaît!

Cathy se précipita dans la maison, Alicia sur ses talons. Elles coururent à la petite chambre où M. et Mme Hope avaient dormi et trouvèrent le sac noir à côté du lit. Puis elles se dépêchèrent de retourner dans la cuisine. Adam Hope était déjà là, tenant le petit ours dans ses bras. John Bruce étala une nappe en plastique sur la table, et M. Hope y allongea l'ourson. Puis il examina la blessure.

– Voyons si j'ai du matériel stérile…

Cathy passa le sac à son père, qui en sortit un petit sachet d'instruments, ainsi qu'un flacon de savon. Il se frotta les mains sous le robinet de la cuisine. Cathy lui tendit une serviette en papier.

– Est-ce qu'il va s'en sortir, papa ? demanda-t-elle d'une voix tremblante.

– Il respire bruyamment, dit Adam Hope en se séchant les mains avec soin. Je ne peux pas encore me prononcer, ma chérie. J'espère que la pointe n'a pas abîmé un poumon.

Il écarta la fourrure ensanglantée sur la poitrine du petit ours. Puis il injecta un anesthésiant local près de la blessure.

– Comme ça, il n'aura pas mal quand il se réveillera, expliqua-t-il.

Cathy hocha la tête et caressa l'ourson. Sa

mère les rejoignit bientôt. Elle sortait d'un bain, ses cheveux étaient enveloppés dans une serviette de toilette.

– Que s'est-il passé? s'écria-t-elle en fronçant les sourcils.

– On l'a trouvé dans une cabane, raconta Cathy, mais il a eu peur, et il s'est précipité sur une fourche.

Emily Hope eut l'air navré. Le silence s'installa dans la cuisine pendant qu'Adam inspectait la plaie.

– Ce n'est pas très profond, annonça-t-il enfin. Et le poumon n'est pas touché.

Cathy poussa un soupir de soulagement. En regardant son père recoudre la blessure, la jeune fille songea qu'il faudrait trouver un nom au petit ours. Elle le caressa une dernière fois et rejoignit Alicia dans le salon.

– Si on lui cherchait un prénom? proposa-t-elle.

– Bonne idée!

Elles restèrent pensives un long moment.

– Qu'est-ce que tu dirais de Solo?

suggéra Alicia. Parce qu'il a erré tout seul.

– Oui, ça lui va vraiment bien, convint Cathy en regardant vers la cuisine.

Adam Hope était toujours penché sur le corps immobile de l'ourson. Au bout d'un moment, il se redressa et posa son aiguille.

– Et voilà, dit-il, l'air satisfait.

– Bien. Peut-on le ramener à sa mère maintenant, Adam ? s'enquit John Bruce.

– Non, c'est trop tôt. La blessure est peut-être infectée. Je lui ai fait une piqûre d'antibiotiques. Il faut le garder en observation quelque temps.

– Il y a un service de soins intensifs au centre de recherches, dit M. Bruce. On peut l'emmener là-bas.

L'ourson commençait à trembler et à grogner faiblement.

– Allons-y tout de suite, décida Adam Hope. Il ne va pas tarder à se réveiller.

Depuis le seuil de la porte, Cathy et Alicia regardèrent M. Bruce porter Solo dans le camion.

– Est-ce qu'on peut le nourrir ? demanda

Cathy à sa mère. Avec un biberon ? Il doit avoir besoin de lait !

— Solo est un animal sauvage, lui rappela doucement Emily Hope. Si notre odeur est trop forte sur sa fourrure, sa mère risque de le rejeter.

— Je sais, mais il est affamé, et faible, et maigre ! protesta Cathy.

— Dès qu'il ira mieux, nous le conduirons au refuge.

Emily Hope était ferme. Elle passa un bras autour des épaules de sa fille :

— Allons, ma chérie ! Rentrons déjeuner avant de geler sur place.

10

Après le déjeuner, Cathy et son amie Alicia s'isolèrent.

– Si on se préparait pour Halloween? proposa Alicia. Ça nous changerait les idées.

Cathy hésita, mais son amie était tellement enthousiaste qu'elle n'osa pas refuser.

– D'accord, fit-elle en se forçant un peu à sourire. Par quoi on commence?

– Par la lanterne, bien sûr!

Elles firent rouler une grosse citrouille sur le sol de la cuisine et entreprirent de la vider de sa chair. Quand ce fut chose faite, Alicia dessina un visage féroce sur la peau, puis les deux filles le sculptèrent. Enfin, elles déposèrent une chandelle à l'intérieur et admirèrent leur œuvre. La flamme vacilla derrière les yeux triangulaires et la bouche édentée.

– C'est super ! s'exclama Alicia, satisfaite. Mettons-la dehors. Après, on montera se déguiser pour sortir.

M. et Mme Hope consacraient la soirée à leur travail, et John Bruce avait insisté pour escorter les deux amies. Hamish aussi les accompagnait. Il trottait devant eux, la tête bien droite.

– L'inconvénient de Halloween, c'est que ça tombe en plein milieu de la saison des ours polaires ! fit remarquer M. Bruce. Notre équipe va devoir redoubler de vigilance, ce soir !

– Comment vous allez faire ? demanda Cathy.

– On va s'équiper de pistolets anesthésiants, et emporter aussi des fusils, par prudence. Avec tout ce monde dans les rues, on ne peut pas prendre le moindre risque.

– Et il y a les projecteurs..., ajouta Alicia en montrant le ciel. Tiens, regarde !

– Oh ! fit Cathy, impressionnée.

De puissants faisceaux de lumière blanche balayaient l'obscurité de part en part.

– Plusieurs véhicules patrouillent en ville, reprit M. Bruce. Tous mes hommes sont dehors pour empêcher les ours de s'approcher. Ne t'inquiète pas, vous ne risquez absolument rien.

Cathy lui sourit :

– Je ne suis pas du tout inquiète.

Finalement, elle était enchantée de participer aux réjouissances. Mme Bruce lui avait déniché un costume de sorcière doublé de fourrure, et elle avait bien chaud. Alicia, elle, portait une cape décorée de lunes et d'étoiles scintillantes.

Des silhouettes couraient un peu partout dans l'obscurité ; il y avait surtout des sorcières et des fantômes, mais Cathy aperçut aussi deux enfants déguisés en ours polaires. Alicia la conduisait de maison en maison. Sur chaque seuil, on leur présentait des paniers et des saladiers pleins de bonbons, de chocolats et de biscuits.

– Comment on va faire pour manger tout ça ? dit Cathy en riant. Il nous faudra une année entière…

Une série d'explosions l'interrompit. Hamish sursauta et se réfugia sous le costume d'Alicia.

– C'est un feu d'artifice ? demanda Cathy en regardant le ciel.

Alicia fit la grimace :

– Non ! Ce sont des fusées. On les utilise pour effrayer les ours.

– Mais alors… ça veut dire que… ?

– Oui, confirma Alicia, fébrile. Il y a un ours dans le coin.

M. Bruce décrocha sa radio.

– La rue du nord ? répéta-t-il. Vous avez combien d'hommes dans le secteur ? Deux ? Ça devrait aller.

Une nouvelle série de tirs crépita dans le ciel nocturne. Cathy se boucha les oreilles.

— Je vais aller voir ce qui se passe, les filles, annonça M. Bruce. Ils ont peut-être besoin de moi. C'est à quelques rues d'ici. Je ne serai pas long.

— D'accord! dit Alicia. Je n'arrive pas à m'habituer au bruit des fusées, confia-t-elle à Cathy tandis que son père s'éloignait au pas de course.

Soudain, elle s'étrangla:

— Hamish!

— Quoi?

Cathy baissa les yeux et aperçut le petit chien allongé sur le sol. Tout son corps était agité de tremblements.

— Hamish! s'écria de nouveau Alicia d'une voix pleine d'angoisse. Cathy, il a une crise d'épilepsie! Il a dû avoir peur des fusées.

Hamish gisait toujours sur la neige. Ses babines étaient retroussées sur ses dents comme s'il grondait, mais il ne proférait aucun son. Ses pattes arrière étaient raides, et tous ses muscles semblaient bandés par un effort intense.

– Aide-moi, Cathy! supplia Alicia. Je ne l'ai jamais vu comme ça!

– Reste ici avec lui, ordonna Cathy en essayant de calmer son amie. Je vais chercher mon père.

– Fais vite, je t'en supplie! implora Alicia.

La jeune fille rebroussa chemin en courant. Le froid était mordant et, par endroits, elle s'enfonçait jusqu'aux chevilles dans la neige. Mais elle était si inquiète pour Hamish qu'elle y prêtait à peine attention.

Dans les rues faiblement éclairées, toutes les maisons se ressemblaient, et elle dut se concentrer pour ne pas se perdre.

Parvenue à un carrefour en T, elle s'arrêta, hors d'haleine. Elle hésitait sur la direction à prendre quand elle entendit une voix derrière elle. Le faisceau de sa torche lui révéla un homme en uniforme de la police canadienne.

— Est-ce que ça va ? lui demanda-t-il.

— Moi, oui, répondit-elle, essoufflée. Mais…

— C'est très dangereux de se promener seule dans le noir ! dit sévèrement l'homme.

— Je sais, s'excusa Cathy, mais je suis partie chercher de l'aide… Et je crois que je me suis perdue !

— Où veux-tu aller ?

— Dans la rue principale. Je cherche le numéro 43.

— Chez John Bruce ?

— Oui, s'il vous plaît, je dois faire vite !

Cathy ne tenait plus en place.

— Tu y es presque. Tourne là-bas au coin. C'est la deuxième maison sur la gauche.

— Merci, haleta Cathy.

Dans un sursaut d'énergie, elle reprit sa course.

— Tiens bon, Hamish ! murmura-t-elle pour elle-même.

11

Le temps que Cathy et son père arrivent, une petite foule s'était rassemblée autour d'Alicia.

– Nous voilà ! cria Adam Hope en se frayant un chemin à travers les badauds, sa trousse de vétérinaire à la main.

Alicia était assise sur le seuil d'une maison, le chiot blotti sur ses genoux.

– Je suis tellement inquiète, monsieur Hope ! s'écria-t-elle.

Celui-ci se pencha sur Hamish :

– Bien, voyons ce qui t'arrive.

Cathy s'agenouilla à côté de son amie. Le petit chien était enveloppé dans une couverture, et seule sa tête dépassait.

– La crise a été vraiment violente, dit Alicia. Elle a duré au moins cinq minutes.

Hamish regarda le vétérinaire. Ses yeux étaient vitreux, et il tremblait toujours.

– J'ai cru qu'il avait arrêté de respirer…, continua la jeune fille.

Adam Hope écarta la couverture et plaça son stéthoscope sur la poitrine du chiot. Puis il alluma une petite lampe et l'examina attentivement. Hamish se tortillait sous ses doigts. M. Hope sortit une seringue de son sac.

– Ça va l'aider à se détendre, expliqua-t-il.

Bientôt, les yeux d'Hamish se fermèrent et il commença à ronfler doucement.

Constatant que l'aide était arrivée, la foule s'était dispersée, et la rue redevint silencieuse. Cathy s'aperçut que le costume d'Alicia était trempé et qu'elle claquait des dents.

— Papa, on devrait ramener Alicia chez elle. Tu crois qu'on peut transporter Hamish ?

— Oui. Il a l'air d'aller mieux. Allons-y !

Il prit Hamish dans ses bras ; Cathy aida Alicia à se mettre debout.

— Merci d'être allée chercher ton père, lui murmura la jeune fille. Hamish compte tellement pour moi…

Cathy hocha la tête et sourit. Elle savait à quel point Alicia aimait son petit chien.

— Alicia ! Adam !

M. Bruce traversa la rue et accourut au-devant d'eux :

— Est-ce que tout va bien ?

— Papa ! s'écria Alicia. Hamish a eu une crise !

John Bruce posa un bras autour des épaules de sa fille et regarda le chien :

— C'est passé maintenant, n'est-ce pas, Adam ?

— Oui… Mais je voudrais le garder en observation.

— Pauvre petit !

M. Bruce tendit le bras et ébouriffa les oreilles d'Hamish. Cathy prit la main d'Alicia et les deux amies commencèrent à avancer dans la rue enneigée. Le shérif polaire les suivit.

– Alors? interrogea Cathy. Il y avait un ours?

– Oui, mais par chance il n'était pas téméraire. Les fusées lui ont fait peur, et il est reparti dans la toundra.

– Bon! soupira Alicia. Alors, on peut rentrer à la maison.

Hamish était couché dans son panier à côté de la cheminée. Il semblait apathique, et ne s'intéressa même pas au morceau de poulet qu'Alicia lui avait proposé.

– Est-ce qu'il risque d'avoir une autre crise aujourd'hui? demanda Cathy à sa mère.

– Non, je ne pense pas, la rassura Mme Hope.

Alicia se joignit à elles. Elle sortait de la douche et ses joues étaient écarlates.

Elle regarda Hamish avec inquiétude :

– Combien de temps va-t-il rester comme ça ?

– Il risque d'être épuisé pendant quelques jours, Alicia, l'avertit Emily Hope. Mais on a fait tout ce qu'il fallait. Il a juste besoin d'être dorloté, maintenant.

Alicia sourit.

– Je m'en occupe, promit-elle.

– Et maintenant, tout le monde au lit, lança John Bruce. La journée a été fatigante.

12

Le dimanche matin, pendant qu'Alicia promenait Hamish, Cathy se mit à ses devoirs. Dans l'après-midi, les deux amies accompagnèrent les parents de Cathy et M. Bruce au centre de recherches.

Cathy et Alicia restèrent en retrait pendant que John Bruce sortait l'ourson de sa cage. Solo lutta un peu avant de s'aplatir sur la table pour se soumettre à l'examen.

Envoûtée, Cathy contemplait le petit ours blanc qui se tortillait et grondait doucement. Elle mourait d'envie de le caresser.

– Il va mieux, dit M. Hope. Mais je ne vois pas bien sa blessure. Ah, voilà ! Parfait !

Cathy regarda les points de suture, une rangée de petits nœuds noirs sur la poitrine de l'animal.

– Comment ça, parfait ? s'enquit-elle.

– La blessure n'est pas infectée, expliqua M. Hope.

– Ah, soupira Cathy. C'est toujours ça…

Pourtant, elle trouvait Solo bien mal en point.

L'examen terminé, M. Bruce remit l'ourson dans la cage. Il se secoua comme un chien qui sort de l'eau.

– Il respire normalement, déclara M. Hope. Je pense qu'il pourra rejoindre sa mère et sa sœur dès demain. Et c'est tant mieux ! Je ne crois pas qu'il puisse survivre longtemps sans manger.

– Ah… murmura Cathy.

Elle échangea un regard inquiet avec Alicia.

– Bon, les filles, intervint Emily Hope. Il est temps de rentrer !

De gros nuages pourpres s'étaient amoncelés sur l'horizon. Une rafale de vent arracha l'écharpe d'Adam Hope et la fit tournoyer au-dessus du parking. John Bruce leva le nez.

– Eh bien! On dirait qu'une tempête se prépare.

– Encore de la neige?

Emily Hope resserra la capuche de sa veste.

– Peut-être, marmonna John Bruce, l'air pensif. Quelque chose arrive, ça c'est sûr!

Comme ils se dirigeaient vers le centre-ville, les premiers flocons se mirent à tomber.

Pendant la nuit, le vent tourna au nord-ouest, provoquant une chute de température. Dans la chambre d'Alicia, Cathy se pelotonna sous son duvet. Elle rêvait qu'elle emmenait Solo dans la baie d'Hudson pour le relâcher sur la banquise. La glace était dure comme de la pierre. Solo s'élançait, et l'esprit de la jeune fille planait au-dessus de lui. Elle souriait dans son sommeil quand Alicia la réveilla.

— Debout, Cathy! J'ai envie de pancakes! fit-elle en s'étirant. Puis on ira rendre visite à Solo, d'accord?

— D'accord!

Cathy sourit. Son rêve l'avait rendue optimiste. Elle pressentait que l'ourson serait bientôt libre.

Dans la cuisine, M. et Mme Hope travaillaient assis côte à côte devant leur ordinateur portable. La mère d'Alicia buvait son café en lisant les journaux du matin.

— C'est à cette heure-là qu'on se lève? plaisanta Adam Hope en tapotant sa montre.

— C'est les vacances! objecta joyeusement Alicia. Encore deux jours. Où est papa?

— Il est parti au bureau, lui répondit Mme Bruce. Il avait du travail.

Alicia sortit les ingrédients des pancakes du placard. Cathy se posta à la fenêtre. D'énormes flocons de neige tombaient en tourbillonnant dans les bourrasques. C'est à peine si on apercevait l'autre côté de la rue. Elle bâilla :

– Je suis bien contente d'être au chaud !

– Comment ? se moqua son père. Tu as encore sommeil après cette grasse matinée ? Heureusement qu'il y en a qui travaillent ! Moi, je suis allé voir Solo ce matin…

Cathy fit brusquement volte-face, tout à fait réveillée à présent.

– Pourquoi tu ne l'as pas dit avant ? Il va bien ?

– Il est en bonne santé. Il est prêt à rejoindre sa mère ! lui apprit Adam Hope.

– Ouf ! soupira Cathy.

– M. Bruce le conduira au refuge dès son retour, continua son père.

– Est-ce qu'on pourra l'accompagner ? s'écria Cathy.

Derrière elle, Alicia approuvait de la tête avec enthousiasme.

– Ça m'étonnerait qu'il parvienne à vous en dissuader ! fit remarquer Adam Hope en souriant.

Ce fut une torture pour les deux amies d'attendre le retour de John Bruce.

Quand le shérif polaire reparut enfin, elles lui laissèrent à peine le temps de boire une tasse de café ; elles étaient trop impatientes de voir Solo et sa famille réunis.

– On peut venir aussi, si vous le souhaitez, John, proposa Adam Hope.

– Merci, je devrais pouvoir me débrouiller sans votre aide. Si nous sommes trop nombreux, l'ourse risque de s'affoler et de rejeter son petit.

13

Au centre de recherches, sous les yeux attentifs de Cathy et d'Alicia, John Bruce prépara Solo pour le voyage. Il lui injecta une mini dose d'anesthésiant et déposa l'ourson endormi sur la plate-forme du camion. Puis ils se mirent en route pour le refuge.

La tempête rendait la circulation difficile. À plusieurs reprises, de violentes rafales secouèrent le véhicule. John Bruce s'accrochait au volant pour rester sur la route.

Lorsqu'ils arrivèrent à destination, Solo

avait presque disparu sous la neige. Il semblait encore engourdi, mais ses yeux étaient grands ouverts. John Bruce le souleva et l'emporta dans ses bras comme un bébé.

— Suivez-moi, lança-t-il à Cathy et Alicia en se dirigeant vers les cages. C'est contraire au règlement, mais je sais que vous mourez d'envie d'assister aux retrouvailles...

Dans le refuge, un enclos libre était destiné à Solo. Il jouxtait celui de sa mère et de sa sœur jumelle.

— La porte entre les deux cages s'ouvre de l'extérieur, expliqua M. Bruce. Je veux d'abord voir comment la mère se comporte.

Alicia poussa la porte de la cellule vide, et son père y allongea Solo. Celui-ci resta mollement étendu sur le sol, clignant des yeux. Depuis la cage voisine, l'ourse le regardait avec curiosité.

Cathy était très nerveuse. Après tout ce qu'il avait enduré, l'ourson retrouvait enfin sa mère. Pourvu qu'elle reconnaisse son odeur... Elle le pressa en silence : « Vas-y Solo ! Lève-toi, et va voir ta maman ! »

Le petit ours paraissait désorienté. Il regarda tout autour de lui, humant l'air froid et humide. Puis il tenta de se lever, mais il tituba et tomba sur le menton. Il essaya de nouveau. Ses oreilles plaquées en arrière indiquaient qu'il était effrayé.

Soudain, sa mère secoua la tête et fit quelques pas vers les barres de métal qui séparaient sa cage de celle de Solo.

– Elle y va ! chuchota John Bruce avec satisfaction.

L'ourse haletait, et son souffle formait un petit nuage dans l'air glacial. Elle était prudente, mais intéressée. Elle poussa son museau entre les barreaux, comme pour sentir son petit. Solo s'approcha. Quand il fut nez à nez avec sa mère, Cathy retint sa respiration. Qu'allait-il se passer ?

L'ourse commença à grogner, et Solo laissa échapper un cri aigu. Il gratta les barreaux avec ses petites griffes, gémit, puis se leva et s'appuya contre la grille. Sa mère demeura immobile, tout contre lui. L'autre ourson, roulé en boule dans un coin, n'avait pas bronché.

John Bruce actionna la manette du passage entre les deux cages, et Solo se précipita dans la cellule voisine. Sa mère le renifla et l'examina longuement en lui tournant autour. Puis l'ourson s'allongea sur le dos et agita ses pattes comme un chiot. En réponse à ce geste de soumission, l'ourse se mit à lécher la tête de son petit et la blessure sur sa poitrine.

Cathy poussa un soupir de soulagement. Ses craintes s'étaient évanouies. Solo était sain et sauf avec les siens. Elle serra le bras d'Alicia :

– Regarde, c'est fantastique ! Elle l'a reconnu !

– C'est formidable ! renchérit M. Bruce.

À cet instant, l'ourse s'affala pesamment et roula sur le côté. Solo enfonça la tête dans sa fourrure. Il cherchait à la téter. Ses petits grognements réveillèrent sa sœur jumelle. Elle ouvrit un œil, mais ne bougea pas. Solo continuait à fourrager dans le ventre de l'ourse, passant d'une tétine à l'autre.

Cathy contemplait la scène avec une inquiétude croissante. John Bruce fronça les sourcils.

– Mince alors ! souffla-t-il.

– Qu'est-ce qui se passe ? demanda Alicia. Pourtant, elle se laisse faire.

– Elle n'a plus de lait, murmura M. Bruce d'une voix monocorde. Elle ne peut plus les nourrir. C'est sûrement pour ça que la petite est trop faible pour se lever.

Cathy sentit sa gorge se serrer. Solo essayait toujours de téter. Il paraissait déterminé à remplir son ventre vide. Finalement, l'ourse épuisée lui montra les dents et le repoussa.

Elle se releva et alla s'allonger plus loin, la tête posée sur les pattes avant. Elle semblait profondément malheureuse. John Bruce se redressa.

– Il faut les conduire au nord de la baie le plus vite possible, dit-il d'un ton catégorique. La banquise doit être assez solide là-haut, et il y a plein de phoques à chasser.

Il cadenassa la cage.

— Vous voulez dire qu'on va les relâcher dehors? Dans la baie? s'exclama Cathy, incrédule.

— Maintenant? reprit Alicia en sautant sur ses pieds.

— Maintenant, confirma son père. Avant qu'il ne fasse vraiment trop mauvais pour sortir l'hélicoptère.

14

En quittant le refuge, Cathy contempla l'étendue sauvage et désolée. Pendant qu'ils assistaient aux retrouvailles entre Solo et sa mère, le paysage avait subi un changement spectaculaire. Jamais elle n'avait vu autant de neige ! Le camion était à moitié enseveli, et ils durent le dégager avant de monter.

Le shérif polaire s'engagea lentement sur la route blanche menant à l'aérodrome. Arrivé à bon port, il abandonna les deux filles dans la cabine.

— Je vais voir si on peut sortir un hélico. Je reviens tout de suite.

Il fut de retour moins de cinq minutes plus tard, l'air contrarié. Il secoua la tête et claqua la portière.

— Rien à faire !

— Quoi ? Pourquoi ? demanda Alicia, inquiète.

— Interdiction absolue de faire décoller les hélicoptères. Toute la flotte est clouée au sol à cause de la tempête. Les ours vont devoir attendre.

Cathy sentit le désespoir grandir en elle.

— Combien de temps ? fit-t-elle d'une voix blanche.

— Je ne sais pas, avoua M. Bruce en redémarrant. Deux ou trois jours... J'ai interrogé la météo, mais on ne peut être sûr de rien !

— Deux jours, s'écria Alicia. Mais c'est trop long ! Ils vont mourir de faim !

Elle regarda Cathy, le visage pâle. Cathy aussi était morte d'inquiétude. Elle se rappelait les paroles de son père : Solo ne survivrait pas longtemps sans manger.

Ces deux jours semblèrent à Cathy les plus longs de sa vie. Les secondes passaient comme des minutes, et les minutes comme des heures. Adam et Emily Hope travaillaient sur leur article. La jeune fille essaya de faire ses devoirs, mais elle avait du mal à se concentrer. Elle retourna se poster à la fenêtre. Les quelques arbres maigrichons qui poussaient dans la rue étaient tordus par les rafales. C'était évident : on ne pouvait pas sortir un hélicoptère par ce temps ! Il ne restait plus qu'à attendre. Adam Hope en profita pour rendre une visite à Solo et lui enlever ses points de suture.

Au troisième matin, Cathy fut réveillée par un silence inhabituel. Le sifflement du vent avait enfin cessé. Elle repoussa sa couette et se précipita à la fenêtre. Le ciel était clair, et un soleil pâle illuminait le paysage.

– Alicia ! cria Cathy à son amie, endormie dans le lit derrière elle.

Elle descendit l'escalier en courant et déboula dans la cuisine :

– Monsieur Bruce ! Madame Bruce ! Maman… Papa !

– Si tu veux m'accompagner pour libérer les ours, Cathy, dit John Bruce d'un air moqueur, je suggère que tu retires ce pyjama.

– C'est vrai ? On peut y aller ?

Cathy le regardait, bouche bée. Le père d'Alicia était déjà habillé, prêt à partir.

– Oui, répondit-il. Tu viens ?

– Bien sûr que je viens ! s'exclama Cathy.

– Alors, dépêche-toi de te préparer, ma grande, la pressa M. Bruce. Il n'y a pas un instant à perdre.

Remontant l'escalier quatre à quatre, Cathy croisa Alicia.

– Quelle barbe de retourner à l'école ! ronchonna son amie. Tu me raconteras, promis ?

– Promis !

Quelques instants plus tard, ils sortaient

tous ensemble de la maison des Bruce.

– Nous vous suivons avec la jeep!
annonça Adam Hope.

Il fit un signe à Cathy, qui montait dans le
camion à côté de M. Bruce.

– Bonne route!

Un hélicoptère était posé sur le parking
du refuge. John Bruce vint se garer à côté et
coupa le moteur.

– Attends-moi ici, dit-il à Cathy. Tu
verras tout ce qui se passe, et tu auras moins
froid.

La jeune fille acquiesça et sourit à ses
parents, qui descendaient de voiture.

Des collègues du shérif polaire s'affairaient devant le hangar. Deux d'entre eux
déplacèrent le piège à ours devant la porte.
Un autre attacha un énorme filet à un
crochet métallique sous l'hélicoptère.
M. Hope s'approcha avec un pistolet anesthésiant. Malgré l'air glacial, Cathy baissa
sa vitre pour écouter ce qui se disait.

M. Bruce cria quelques mots à quelqu'un,
à l'intérieur du refuge. Presque aussitôt, on

entendit des cris étouffés et le fracas métallique d'une grille. Puis un bref son feutré, et le piège se secoua violemment. L'ourse était à l'intérieur. Deux secousses plus faibles indiquèrent que ses petits l'avaient rejointe.

« Ouf! Ils sont encore en vie », songea Cathy.

M. Bruce fit coulisser une trappe au sommet de la cage et la femelle sortit la tête. Aussitôt, Adam Hope envoya une fléchette tranquillisante sous son oreille. L'ourse retira brusquement sa tête et disparut dans le piège.

Après quelques minutes, M. Bruce ouvrit prudemment la trappe et regarda à l'intérieur :

– C'est bon. On peut y aller !

Emily Hope aida Mike à déployer le filet, le plus près possible du piège.

John Bruce et deux de ses collègues traînèrent la femelle endormie à l'extérieur et l'enroulèrent dans le filet. Les petits oursons suivirent leur mère d'un pas hésitant. Adam Hope leur injecta une minuscule dose d'anesthésiant, et les oursons s'affalèrent sur le sol.

M. Bruce appela Cathy d'un geste de la main. Elle sauta de la cabine et courut le rejoindre. Solo gisait sur le sol gelé. Ses yeux étaient mi-clos et il semblait encore plus maigre qu'avant.

— Tu pourras le prendre avec toi, Cathy? demanda le shérif polaire en soulevant l'ourson dans ses bras.

La jeune fille accepta avec joie. Impatiente de se rendre utile, elle courut jusqu'à l'hélicoptère et grimpa à l'arrière. John Bruce plaça l'ourson endormi à ses pieds.

— C'est Wayne qui pilote, annonça M. Bruce en s'asseyant à côté d'elle. Il posa l'autre petit ours devant lui.

— Nous, on s'occupe de ces deux-là, d'accord?

— D'accord, fit Cathy en s'installant confortablement.

Adam Hope jeta un coup d'œil par la portière ouverte et sourit à Cathy.

– Tout va bien, ma chérie?

– Oh oui!

La jeune fille était pressée de décoller pour ramener au plus vite Solo et sa famille dans leur milieu naturel.

15

M. Hope indiqua la destination au pilote et ferma la porte coulissante. Les pales se mirent en mouvement. En quelques secondes, l'hélicoptère décolla du sol enneigé. Bientôt, le filet se souleva. Ainsi resserré autour de l'ourse, il ressemblait à un sac à provisions géant suspendu en l'air. M. Bruce fit un signe de victoire à Cathy :

– On y est presque ! On va la sauver, notre petite famille.

Ils volaient bas en direction du nord. Par instants, Cathy apercevait l'ourse, roulée en boule dans le filet comme un chien dans un panier. Elle avait les yeux clos, et son manteau ébouriffé prenait une teinte rosée dans le soleil matinal.

Wayne Roberts, le pilote, regarda M. Bruce par-dessus son épaule et montra le sol :

– On arrive, John. Je vais la poser là, près de la glace.

Cathy vit l'ombre de l'hélicoptère danser sur la neige. Au sol, la surface grumeleuse de la toundra s'arrêtait abruptement, cédant la place à une étendue blanche et lisse. La banquise ! Wayne amorça la descente. Très vite, le sol parut se précipiter à la rencontre du filet.

Cathy retint sa respiration. L'engin ralentit, et l'ourse atterrit lourdement. Traîné derrière l'hélicoptère, son corps massif creusa un sillon dans la neige poudreuse. Ils se posèrent à leur tour, et le pilote coupa le contact. Un silence bienvenu s'installa. John Bruce sauta dehors et emporta la petite ourse dans la neige. Puis il souleva Solo et l'installa à côté de sa sœur. Cathy s'approcha des oursons endormis, tandis que le shérif se dirigeait vers leur mère.

La secousse de l'atterrissage l'avait tirée du sommeil; elle regardait autour d'elle, déconcertée. Elle frémit d'impatience. M. Bruce tira sur les cordons et ouvrit le filet. Elle cligna des yeux et renifla l'air, mais ne fit aucune tentative pour se lever.

— Est-ce que ça va aller? s'inquiéta Cathy.

— Je pense. Elle est juste un peu étourdie, répondit M. Bruce.

L'ourse haletait et essayait de se lever. Elle roula des yeux furieux.

— C'est bon, Wayne, tu peux m'amener les petits, lança le shérif polaire.

Cathy aida le pilote à transporter les oursons. Avec des gestes rapides, John Bruce plaça un petit de chaque côté de la mère.

— Allez, ne traînons pas. Elle sera bientôt sur pied. Il est temps de bouger d'ici.

Ils coururent se mettre à l'abri dans l'hélicoptère. Cathy essuya la buée sur la vitre. Elle voulait voir les ours se réveiller.

— Ne décolle pas tout de suite, Wayne, s'il te plaît, demanda M. Bruce. Restons un peu dans le coin pour regarder.

Le cœur de Cathy frappait fort dans sa poitrine.

Très lentement, la mère se redressa sur ses pattes. Elle cherchait son équilibre et regardait autour d'elle avec méfiance. Tout à fait réveillés, les oursons se poussèrent contre elle. Ils lui donnaient de petits coups de tête pour attirer son attention. Mais l'ourse avait senti quelque chose. Elle dressa son nez noir et brillant dans la brise. Puis elle mit une claque à Solo, qui essayait d'enfouir son nez dans son ventre.

— J'espère qu'ils vont trouver de quoi manger, dit Cathy.

— Ne t'inquiète pas, ma grande, la rassura John Bruce. Il y a tout ce qu'il faut ici.

Comme pour confirmer ses paroles, la mère ourse s'éloigna sur la banquise. Elle tenait haut la tête, et son nez remuait furieu-sement. Elle flairait une odeur de nourriture. Soudain, elle accéléra et partit comme une flèche sur la glace. Solo et sa sœur la suivaient de toute la vitesse de leurs petites pattes. Ils bondissaient vers la liberté et la nourriture dans un sursaut d'énergie.

– Et voilà! s'exclama John Bruce avec satisfaction.

Cathy voulait crier de joie, tant son soula-gement était immense. Mais elle avait la gorge nouée par l'émotion. Elle se laissa aller contre M. Bruce, qui la serra dans ses bras.

– Je suis tellement heureuse pour eux! dit-elle simplement.

– On ferait bien de rentrer, chef, suggéra Wayne en tapotant sa montre. Il y a des ours qui nous attendent!

– Tu as raison, fit le shérif polaire en attachant sa ceinture. Allons-y!

L'hélicoptère prit son envol dans le ciel limpide, traînant derrière lui le filet vide. Le nez collé à la vitre, Cathy contemplait la petite famille. Les trois ours polaires trottaient tranquillement sur la glace, semblables à des jouets miniatures. La jeune fille avait l'impression que leur bonheur était contagieux. Comme l'ombre de l'hélicoptère vacillait sur lui, Solo regarda en l'air. Cathy jeta un dernier coup d'œil à la petite tête chérie.

— Adieu, Solo ! murmura-t-elle.

FIN

Et voici une autre aventure
de Cathy et James
dans

SEUL DANS LA VILLE

Cathy se retourna pour observer la foule. Des guides brandissaient des parapluies colorés, afin d'être facilement repérés par leurs groupes ; des familles posaient pour la photo ; des vendeurs de hot dogs se disputaient les meilleures places.

Soudain, la jeune fille repéra un adorable chiot labrador brun, assis à côté d'un des chariots de hot dogs. La tête penchée sur le côté, il louchait avec envie sur les saucisses. Elle le regarda plus attentivement et jeta un regard circulaire sur la foule. Personne ne semblait lui accorder d'attention particulière. Pourtant, son propriétaire ne pouvait pas être loin.

Voyant que Casey était toujours fascinée par le palais, Cathy donna un coup de coude à James.

— Regarde le petit chien, là-bas, murmura-t-elle. On dirait qu'il est tout seul. Tu crois qu'il s'est sauvé?

— Peut-être, fit James. Tu peux voir d'ici s'il a un collier?

— Il est beaucoup trop loin, répondit Cathy en plissant les yeux. Approchons-nous, je veux l'examiner de plus près.

— Où allez-vous? On va vous piquer votre place! leur lança Casey depuis son poste d'observation devant la grille.

— On revient dans une minute, lui cria Cathy par-dessus son épaule.

— Je dois avoir quelque chose qui pourrait nous aider à l'approcher, dit James en fouillant dans sa poche. Là! Ça y est!

Il exhiba triomphalement un vieux biscuit pour chien.

Découvre vite la suite de cette histoire
dans
SEUL DANS LA VILLE
Nº 327 de la série

ÉCRIS-NOUS !

Chère Lucy Daniels,

Je trouve que les aventures de Cathy sont géniales.
Je rêve d'être comme elle et de voyager à travers le monde pour aider les animaux. Je les adore !
Je fais même partie d'un club qui défend la nature et les animaux en danger.

Justine, 10 ans.

RÉPONSE

Il est vrai que Cathy a beaucoup de chance, car voyager, c'est fantastique. Mais d'une certaine façon, tu contribues, toi aussi, à sauver les animaux en les aimant et en aidant ton club à protéger la nature. Parfois, les gestes simples sont aussi utiles que les grandes actions !

TOI AUSSI,
tu AIMES LES ANIMAUX ?

Si tu as envie

de nous confier les joies et les soucis
que tu as avec ton animal,

si tu veux

nous poser des questions
sur l'auteur et ses romans,
ou tout simplement nous parler
de tes animaux préférés,

n'hésite pas à nous écrire !
Ta lettre sera peut-être publiée !

Bayard Éditions Jeunesse
Série " SOS Animaux "
3, rue bayard
75008 Paris

Attention !
N'oublie pas d'écrire ton nom et
ton adresse si tu veux qu'on te réponde !

S.O.S. ANIMAUX

SPÉCIAL DAUPHINS

S.O.S. ANIMAUX

Imprimé en Allemagne par Clausen & Bosse